Audrey Poussier

Le bain d'Abel

l'école des loisirs
11, rue de Sèvres, Paris 6e

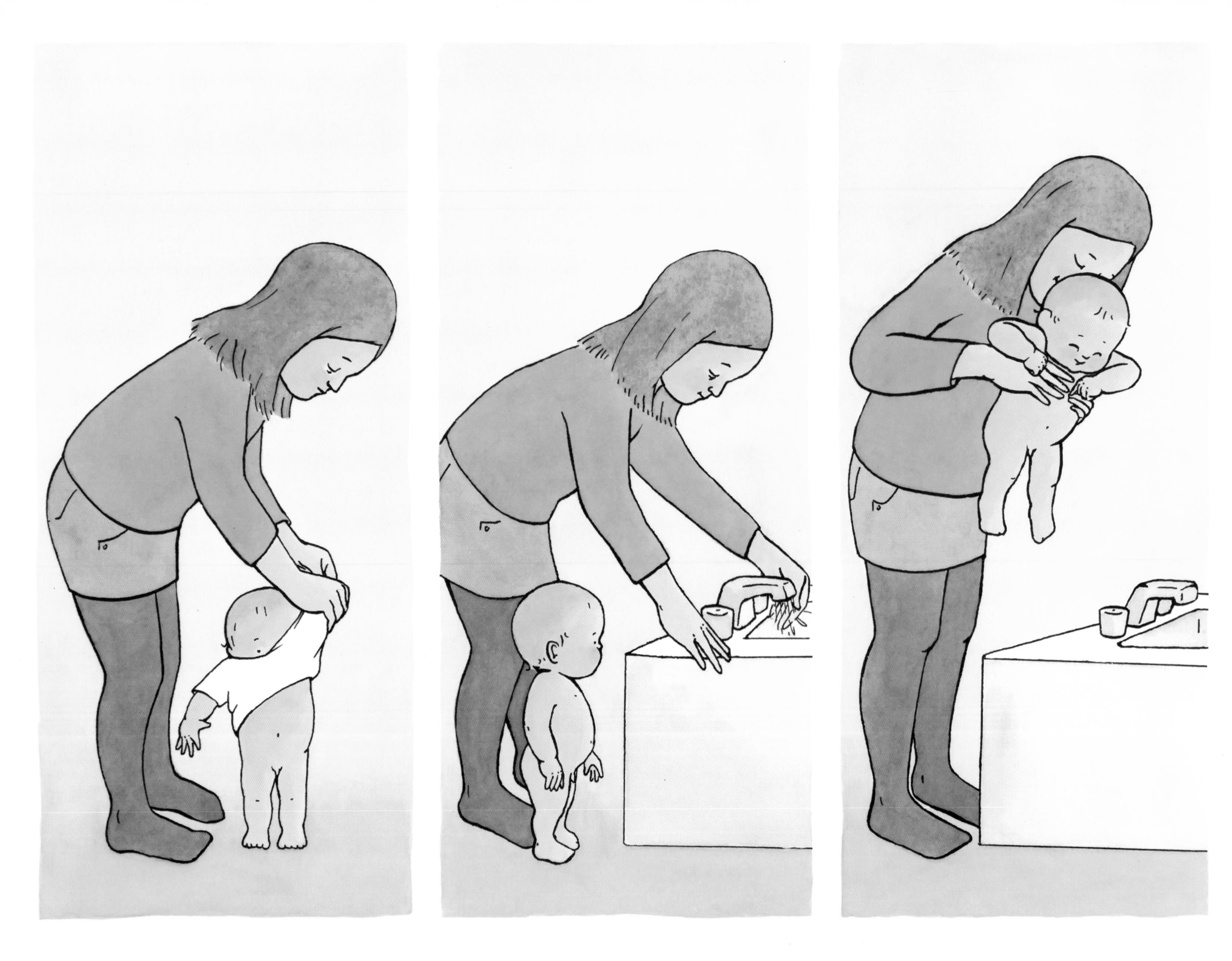

Ce soir, comme tous les soirs, Abel prend son bain.
Un bon bain bien chaud, avec de la mousse et des jouets dedans.

Il joue bien.
Il joue longtemps.

Ce soir, comme tous les soirs,
la maman d'Abel dit : « On sort maintenant ! »
Elle enlève le bouchon et la baignoire se vide.
Abel crie très fort : « Mon bain ! Je veux mon bain ! »

Il essaie de retenir l'eau de ses deux mains,
mais l'eau s'en va.
Abel voudrait suivre l'eau, mais il est trop grand
pour passer par le trou de la baignoire.

Pourtant, ce soir, il peut.
Alors, il le fait.

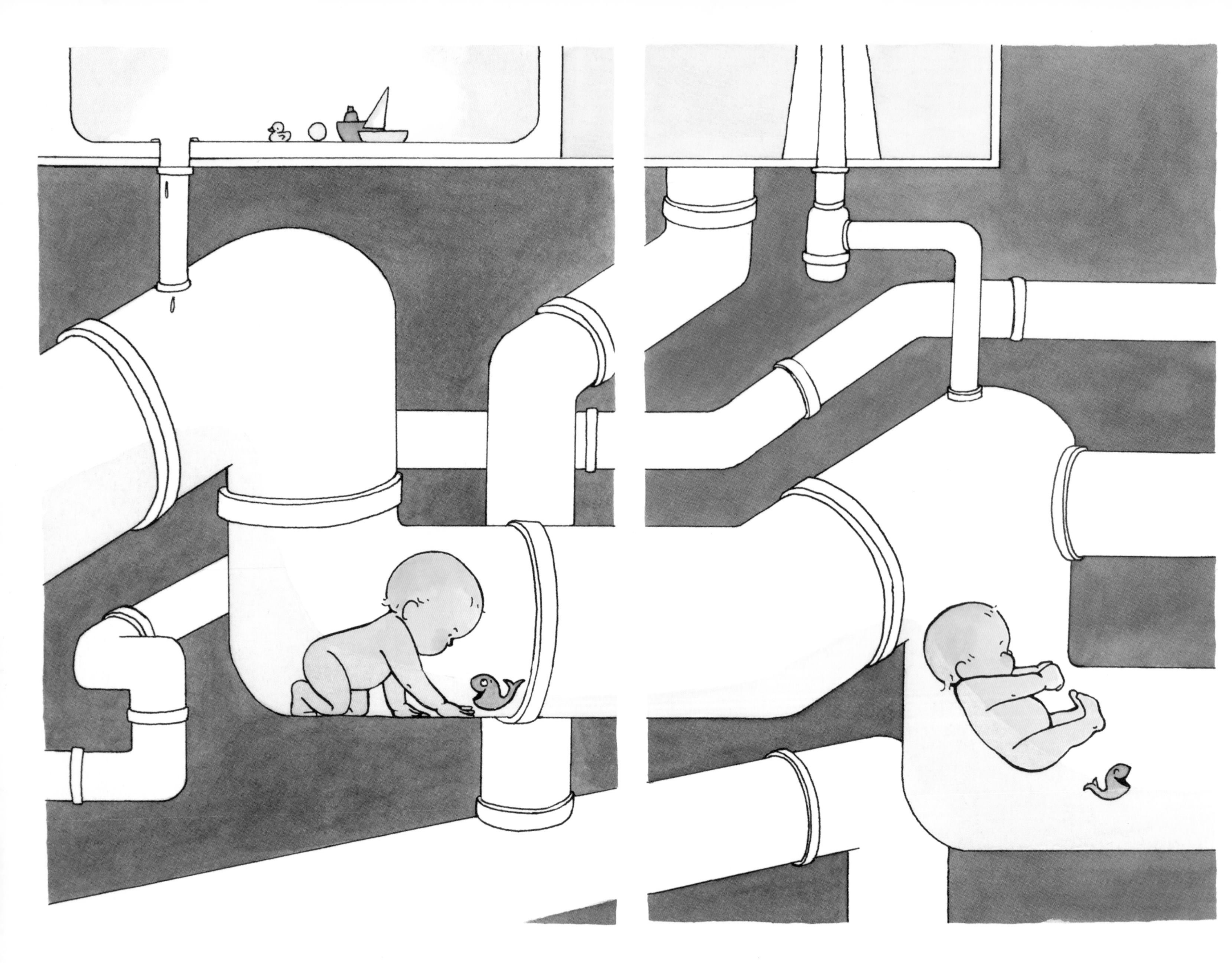

Dans le tuyau d'évacuation de la baignoire, Abel trouve Bonnie, sa baleine en plastique.
« As-tu vu passer mon bain ? » demande Abel à Bonnie.
« Un bon bain bien chaud, avec de la mousse et des jouets dedans. »
« Je l'ai vu ! » répond Bonnie. « Il est passé par là, je vais t'aider à le trouver, suis-moi ! »

Le tuyau d'évacuation se jette
dans un tuyau beaucoup plus large.

C'est le tuyau des égouts.
L'eau y est jaune et sale.
« Je n'aime pas l'eau jaune ! » dit Abel.
« Mon bain n'est pas comme ça ! »
« As-tu vu passer un bain ? » demande
Bonnie à un rat qui paresse là.
« Un bon bain bien chaud,
avec de la mousse et des jouets dedans. »
« Pas vu », dit le rat,
« mais ça donne envie, je vous suis ! »

Tout à coup, l'eau tombe en cascade.
« **Wouahouuuuu !** » fait Abel.
« **Youhou !** » crie Bonnie.
« **Hiiiiiiiiiiiii !** » crie le rat.

Ils atterrissent dans la station d'épuration. C'est là que l'eau est nettoyée.
Un chien leur dit : « Bienvenue les amis ! Un p'tit bain avec moi ? »
« Pas ce bain-là ! » dit le rat.
« On cherche mon bain », dit Abel.
« Un bon bain bien chaud, avec de la mousse et des jouets dedans », dit Bonnie.
« Vous n'y êtes pas ! » dit le chien. « Mais je veux voir votre bain ! »

Ils passent par trois bassins, tous plus drôles les uns que les autres.
Dans le troisième, le chien leur dit : « Par ici la sortie ! » Et il plonge.
Le rat, Abel et Bonnie plongent derrière lui.

Au bout du tuyau, c'est le ruisseau.
« Avez-vous vu un bain ? » demande le chien à Bernard et Renata, deux grenouilles qui barbotent là.
« Un bon bain bien chaud, avec des jouets en mousse. »
« De la mousse et des jouets », corrige Abel.
« Ça ne me dit rien », dit Bernard.
« Ça ne me dit rien », dit Renata.
« Mais ça a l'air drôlement bien ! On vient ! »

Le ruisseau devient rivière.

« Famille canard, avez-vous vu passer le fameux bain d'Abel ? »
demandent Renata et Bernard.
« Comment est-il ? »
« C'est un bon bain, bien chaud. Avec de la mousse et des jouets dedans. »
« Je n'ai pas vu de mousse », dit le canard.
« Ni de jouets ni de chaud », disent les canetons. « Mais, papa, s'il te plaît…
cherchons-le avec eux ! »

La rivière devient fleuve.

« Bonjour canetons », dit Josse l'hippopotame. « Qu'est-ce qui vous amène là ? »
« On cherche le bain d'Abel. »
« Un bon bain bien chaud, avec de la mousse et des jouets dedans. »
« Ton bain n'est pas ici », dit Josse. « Mais le pêcheur, là-bas, l'a peut-être vu. »

Le fleuve devient mer.

Tous ensemble, ils arrivent à la barque du pêcheur, et, tous ensemble, ils demandent :
« As-tu vu son bain ? » « Le bain d'Abel ! » « On a cherché partout ! » « Avec de la mousse ! »
« Un bon bain chaud ! » « Et des jouets aussi ! » « Mais on ne le trouve nulle part ! »
« Hum… ! » dit le pêcheur. « Je crois que je comprends…
Ton bain, petit, tu ne le touveras pas parce qu'il s'est mélangé avec l'eau de la mer. »
« Oh non !!! » disent les canetons.
Renata déclare : « Il faut en refaire un ! »
« Mais qui sait faire un bain ? » demande Bernard.

« Maman ! » s'écrie Abel.
« Alors, tous chez maman ! » crient les canetons.

Ils embarquent dans le bateau du pêcheur et naviguent longtemps…

… jusqu'au pied de l'immeuble d'Abel et sa maman.

Ils descendent sur le quai
et amarrent le bateau.
« Avant d'entrer chez moi », dit Abel,
« il faut que je vous dise :
maman aime faire des bains
quand je suis bien bien sale. »

Tous ensemble ils se salissent.
Plouf ! Splach ! Floc !

Et quand ils sont bien sales, ils montent du quai à la rue.

Puis de la rue…

… à la porte de l'appartement.

Toc ! Toc ! Toc !

« Mais vous êtes dégoûtants ! »
dit la maman d'Abel.

« Vite, une douche et à table ! »